≪ LARGE PRINT ≫

PUZZLES

SUDOKU

igloobooks

igloobooks

Published in 2021
First published in the UK by Igloo Books Ltd
An imprint of Igloo Books Ltd
Cottage Farm, NN6 0BJ, UK
Owned by Bonnier Books
Sveavägen 56, Stockholm, Sweden
www.igloobooks.com

Copyright © 2019 Igloo Books Ltd

1221 001
2 4 6 8 10 9 7 5 3 1
ISBN 978-1-83852-122-6

Cover designed by Dave Chapman

Puzzle compilation, typesetting and design by:
Clarity Media Ltd, http://www.clarity-media.co.uk

Printed and manufactured in China

Contents

Introduction to Sudoku

Sudoku is a logic puzzle with simple rules. As such, it requires no knowledge of maths or mathematical ability. Although the puzzle contains numbers, these could be replaced with symbols of any sort as the numbers do not have any mathematical function.

Here is what a standard sudoku puzzle looks like:

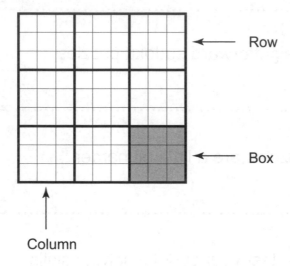

The aim of sudoku is straightforward: you must place each number from 1–9 exactly once into each of the rows, columns and boxes in the puzzle grid. The diagram above illustrates one row, one column and one box in the grid.

You will notice that each of these rows, columns and boxes – which are called 'regions' – contain 9 cells. In total there are 27 regions in the puzzle.

At the start of the puzzle, some numbers are already placed in the grid. The aim of the puzzle is simply to complete the puzzle by deducing which number must be placed in each of the empty cells in the grid.

There is only one solution, and it can be reached through logic alone – no guessing is ever required to solve any of the sudoku puzzles in this book.

No. 1 Easy

		3		7				2
9			5	2				
	5		3		6		9	
	7	5						4
4	9		8		7		2	3
2						5	7	
	2		6		5		4	
				4	1			7
1				8		2		

No. 2 Easy

		1		5			2	7
2	7				4		3	
		3	7		2	4		9
			5		6		4	
	2		9		8			
7		2	4		5	3		
	8		2				9	4
5	1			8		2		

No. 3 Easy

		4	8				1	
		1		5	9			
	2		1	6		5		
4			2	8		1	9	
3								4
	9	2		1	5			3
		5		3	2		4	
			5	4		7		
	4				1	3		

No. 4 Easy

1			5	6				
		5	3					
		2		4	9	3	5	
	9	1	6			4		
3	2						8	9
		4			7	6	3	
	1	7	8	3		5		
					6	8		
				9	5			7

Easy

3		7				1		
6	2							8
	1		6			7	5	
5	3	1	8					4
			3		4			
9					7	8	3	5
	5	6			3		2	
1							8	7
		4				5		3

No. 6 Easy

8		8		9	2			4
			3		4			7
4	9		1	8	6			
	3						2	8
		2				1		
1	8						7	
			9	7	1		4	2
9			4		5			
2			8	6		7		

No. 7 Easy

2	8		6				9	5
	1	9						
3				8	2	1		
5	4			6	9			
			1		4			
			7	2			5	9
		6	2	9				4
						2	6	
4	5				6		1	8

No. 8 Easy

	4							
	9	5		1		4		8
1		8	9					6
	3	1		5	9	8		4
4		9	2	3		7	5	
6					5	1		9
5		3		9		6	7	
							8	

Easy

		2			1	6		3
		6	2	3			8	
	1					4	2	
			9	1	6			5
			3		2			
5			7	4	8			
	6	5					9	
	9			6	3	1		
3		7	1			2		

Easy

5			6	3		2		1
1	6				2			7
		4	1					6
			8	2				
2			7		6			3
				5	3			
7					5	1		
9			3				4	5
6		5		1	8			9

No. 11 Easy

2	4	1	6				3	
7		6						
9	5							6
3		9	2	8				
	7		4		9		6	
				5	6	9		2
4							2	1
						6		4
	2				1	7	5	9

No. 12 Easy

	5		7				6	
		1		4		7		5
7							3	8
	8	7			2			
6	1		4		9		8	7
			3			6	1	
9	2							1
5		8		2		4		
	7				4		2	

10

    Easy

			9	6	2	7	1	
3							2	9
			1			4		
	5	3	6		4			8
	9						4	
6			2		8	5	3	
		6			1			
4	8							1
	3	9	4	5	6			

    Easy

4		5			1	8		2
	1	9						
	7			2			5	
7		4	9			2		
	5	6				9	4	
		8			4	7		5
	9			6			2	
							5	9
5		1	2			6		8

Easy

	1			4				
3					1		2	8
	4				3	5	1	9
		8	4				7	2
			6		8			
1	7				2	8		
7	5	1	3				9	
9	3		1					5
				9			4	

No. 16 Easy

1	6			5		9		
				1				
3				9	6	1	5	4
	7	6						3
4		3				8		9
2						4	6	
6	4	2	5	3				1
				7				
		7		6			2	8

No. 17 Easy

		1	8			4	6	2
		2	4		1			
					3	1		
8					4	9	3	
	3	6				7	1	
	1	7	3					5
		3	6					
			9		2	6		
7	6	4			8	2		

No. 18 Easy

	1					6	2	
		7		6		9		
		2			8	7	3	4
7		9		5	4			
	5						4	
			8	3		5		9
2	7	3	6			4		
		6		4		3		
	9	1					5	

Easy

	3	5		1			8	
				5		7		
1	9	4	7					5
9		1						6
		3	8		1	9		
4						8		7
3					7	5	6	8
		7		8				
	4			6		1	7	

No. 20 Easy

		7		3				
	2		9	1	4			
	4				5			6
	3	4	1		7		9	
1		9				7		5
	5		2		9	1	3	
4			3				8	
			5	7	1		4	
				4		5		

Easy

	4		5			2	6	
				2		8		1
6							4	
	1	9		4	6			
3	6		1		9		7	2
			2	5		6	1	
	3							6
5		6	3					
	9	8			2		5	

No. 22 Easy

			4					
2	9			6	8			1
	5	7		1	2			6
		2				6	4	
9			7		4			5
	7	4				3		
6			2	5		7	9	
3			9	7			6	4
					6			

7			1			5		6
			2					
	8	1		4	6			
	7				5	1		8
	6	5	4		8	2	7	
8		9	3				4	
			9	6		7	5	
					1			
4		6			2			1

	4		8			5		1
3								
		5		7	2		6	4
6					8	1	4	
		3	1		4	6		
	5	1	7					3
1	9		2	4		7		
								9
7		8			1		2	

No. 25 Easy

	1		2	7		9		4
4		9						
				1			8	3
9	8	7					3	
5		1				4		7
	3					8	9	2
3	6			2				
						3		8
7		5		8	3		4	

No. 26 Easy

	9	6			1			
		8	2		5	6	1	
	1			4				
	5	4			9	1	2	7
6	7	1	5			4	9	
				8			7	
	8	7	4		6	2		
			1			9	8	

No. 27 Easy

3	2	8	4	6			9	
1		4	7	9				
		6	2	8	1			9
8								6
4			5	7	6	8		
				4	7	9		2
	9			5	2	3	7	4

No. 28 Easy

7							8	5
		8	7	3				
6		4		5	8	7	3	
5		6				2	4	
	8	7				5		3
	1	9	5	4		3		7
				7	9	4		
4	7							6

No. 29 Easy

	1	5			4	8	9	
	4		8		2	1		
	9	7						
7		1		9	2			
			6		7			
		6	2			4		9
						9	4	
		2	9		1		6	
	3	9	4			7	8	

No. 30 Easy

	7	3				5	8	6
		1		7	8			
5				3		2		
1					2	6	4	
8								7
	6	5	9					8
		6		9				2
			8	2		7		
7	5	2				8	9	

19

Easy

			6					8
		1		7			9	4
9	8		2					
		2		9	6		4	5
		7	5		4	8		
5	6		8	2		3		
					2		8	7
7	4			8		9		
2					7			

Easy

			5	9			2	7
		6					9	
			2			1	6	4
			9				7	6
2		7	4		8	9		1
4	9				1			
9	1	2			5			
	7					6		
6	5			1	4			

No. 33 Easy

5			2			8		
2				5	8			3
		8		7	1	2		
				2	4		9	
		5	9			3	4	
	6		5	8				
		6	7	4		9		
1				8	9			7
		2			5			8

No. 34 Easy

9		7	5			8		3
	3	8						
6		1	2		8			9
					2		3	
		9	6		7	5		
	6		3					
5			7		9	1		4
						7	5	
7		2			5	3		8

No. 35 — Easy

	5			9				8
8	6					2		
2		4					7	
3					9	8		7
9		2	8		7	5		1
6		7	4					9
	7					1		4
		8					5	3
4				1			8	

No. 36 — Easy

6	1				3		9	7
2	7		8		5			
		9			6	2		
				8	7	1	3	
	3	7	5	6				
		2	7			9		
			9		2		5	8
3	9		6				2	1

No. 37 Easy

2	6	7				1		
						8		7
	1	9		2	4		3	
		1		3	9			
6			1		8			5
			6	5		3		
	2		3	1		4	8	
3		5						
		4				7	5	3

No. 38 Easy

7	5				8		9	
		3	6	4	5	7		
1		4	9			6		
6		5		8				
				9		1		2
		9			4	2		3
		1	8	6	9	5		
	4		3				1	6

Moderate

		4			8	6		
1	7		3	5	2			
5					9			
8		1					7	
				3				
	6					5		2
			6					5
			9	4	1		6	8
		8	2			4		

Moderate

	7				8			
			7		2	9	4	
1				4				5
		7		5				8
	5						1	
6				3		4		
3				7				6
	8	6	2		5			
			6				2	

No. 41 Moderate

2	3		7					1
9	4							
		8		5	3			
			3		5			
1	6						2	3
			9		6			
			4	9		3		
							4	5
4					1		9	7

No. 42 Moderate

	1							2
	2			8		7		3
		5		9		8		
7			9				3	5
			3		6			
2	4				5			9
		1		3		5		
5		2		4			8	
8							4	

25

No. 43 Moderate

	7	6				2		
					6		1	
8		9					3	6
				9	5			
7	5		6		1		9	3
			7	3				
1	6					5		9
	4		9					
		7				8	6	

No. 44 Moderate

9		8			2			
			3					
4	2				1		5	
		7		2	5	6		
2				3				7
		9	7	6		3		
	9		2				3	4
					6			
			8			7		2

26

No. 45 — Moderate

				8		7	6	
	8				7			2
						1		4
		2	7			3		8
			3		5			
7		5			4	6		
4		9						
3			5				7	
	7	6		9				

No. 46 — Moderate

		7		4			3	
			6					7
	8	1	2					
		3		2				9
		2	7		8	3		
4				3		7		
					5	2	9	
2					4			
	6			7		5		

No. 47 Moderate

		3				9		
	2		4	7	1			
			3					4
2		7			6			5
		5	9		8	1		
1			7			6		9
3					4			
			6	9	3		7	
		6				3		

No. 48 Moderate

5					1			
3		4		8	9	1		
	2			5				
1		3						8
		8	7		4	3		
4						5		6
				2			3	
		5	1	4		8		2
			3					4

28

No. 49   Moderate

		1			9			
			2				8	1
		5				9		
	1				4	6		3
	5		8		6		4	
2		4	1				9	
		8				3		
4	9				7			
			9			5		

No. 50   Moderate

				1	8			9
	9		3					
8				5				6
	5						6	4
			4	8	7			
7	3						2	
6				4				7
					2		5	
2			8	3				

Moderate

8	7		3					
6		1			9			
		5	2			7		
		8					7	
2			7	6	3			1
	1					3		
		2			5	8		
			4			9		6
					7		2	4

Moderate

	8				4	1		
	4		8		3			2
9						5		
								1
		6	4	2	9	8		
8								
		1						7
4			5		6		3	
		3	7				1	

Moderate

4	5			6	3	2		
			5					
3				2				5
	2		1			4		3
		8				6		
9		3			2		8	
7				3				6
					7			
		9	8	1			2	7

No. 54   Moderate

		8	3		4			
					2	6		5
			9			1	4	
		1	8			6		
	7						2	
	8		4			9		
	5	2			1			
4		9	7					
			4		3	7		

No. 55 Moderate

			5				7	
				1		9	4	
	8	5			9			1
				3				
		6	8	5	2	4		
				9				
3			9			8	2	
	9	4		6				
	5				7			

No. 56 Moderate

		7	6					4
	2				4			
		8	1	7			2	
		1		6				5
5								7
6				3		9		
	1			4	2	5		
			9				7	
9					7	1		

No. 57 Moderate

			5	2			3	
					6			5
	8	6				2		
	2		6		8		5	1
4								9
1	7		2		9		8	
		7				9	1	
8			9					
	3			7	5			

No. 58 Moderate

1		7	5			9		
	8	6	4					
								6
6					7	5		1
		4		5		3		
8		5	1					9
2								
						3	6	9
		3				6	2	7

No. 59   Moderate

			1			8		
	3				2		6	9
5				4	6		2	
2						6		7
			8		7			
4		9						8
	4		5	7				2
7	5		2				4	
		2			3			

No. 60   Moderate

8								
5			4		9			
	3		2	5	7			
	8	6				5		9
		2				6		
	5		3			8	1	
			8	7	2		5	
			5		3			7
								4

No. 61 Moderate

						7	9	
			9		7			1
7	3			6				
	7	3						2
	6		7		5		8	
2						4	7	
				5			3	9
8			4		6			
	1	5						

No. 62 Moderate

1	3				9			
8	7							
		9	1	4				
	9		8		4		6	2
6								1
7	1		9		6		4	
			5	3	6			
							2	3
			6				1	9

No. 63 Moderate

			2	8				
3		4	1				8	6
8		5						
6			3		9			8
		9				4		
2				1		6		9
						7		4
4	3				7	1		5
				2	1			

No. 64 Moderate

	4			8	1	2		
			2				3	
		6	5	9				
5							2	3
	9			7			5	
4	3							8
				5	9	6		
	7				8			
		5	4	6			7	

No. 65 Moderate

	5		7		6		9	
		6			3			
	7			5		1		
1					2		5	
			1		8			
	6		5					9
		2	9				7	
			2			6		
	3		6		5		4	

No. 66 Moderate

2		7	5					9
	3	5			2		8	
9				6				
8			2	5				
		3				4		
				3	7			8
				7				6
	4		1			9	3	
3					9	5		2

No. 67 Moderate

				1			8	
8			4	6			1	
	2	1				3		
2		5		4	1			
	8						9	
			3	2		6		5
		8				9	5	
	5			9	6			7
	4			5				

No. 68 Moderate

1							2	6
9	6					8		
			1	6				
5				3		1	7	
	8		6		7		5	
	7	1		2				9
				5	9			
		4					3	1
8	9							2

No. 69 Hard

					4	6		5
		4	5					
		7			1		2	
	9			3			8	
4				9				6
	8			5			9	
	4		8			2		
					7	9		
1		3	9					

No. 70 Hard

			4				3	
	2	3	1	5		4		
5			3				7	
		5					1	
		7				2		
	6					5		
	3				5			8
		1		8	4	3	2	
	8				9			

No. 71 Hard

			7			8	5	
5						3		1
	1		3				2	
	4		6					
1		3				7		6
					4		1	
	3				9		8	
6		2						5
	8	5			2			

No. 72 Hard

								6
	1				2			
2	9				4	5	7	
	3		7					5
		6		1		7		
7					9		3	
	2	5	6				8	3
			8				5	
1								

Hard

8	2					7		
					3			5
5	9		4					
	8		3	2				
	1						9	
				7	1		3	
					6		1	3
6			5					
		9					7	4

Hard

		8	1			3		
		3	4		8			
	7						9	
			7		6			
5			6	1				7
		2	4					
	8					3		
			3		2	5		
		9			4	1		

Hard

2	6				8		5	
		3		5				6
7								
		4	9		2			
1	3						7	5
			7		5	3		
								7
8				4		1		
	4		5				9	8

Hard

6				1			2	
1	7				3			
	5		7					
		1	2					
4			5	6	7			9
					1	8		
					2		5	
		9					4	3
	4		3					6

No. 77   Hard

				4			7	2
					8	5		
8	5		3	2			1	
							9	4
	6			7			2	
1	9							
	8			1	3		6	7
		4	9					
3	1			6				

No. 78   Hard

3							1	4
		8		4		2		
2	4			1	5			
			3			8		6
				9				
8		1		2				
			1	6			9	8
		5		2		3		
6	8							1

43

Hard

		8	4			3	6	
	6				3			1
		2			7			
				7				6
	9						5	
8				1				
			3			7		
9			7				4	
	4	6			2	8		

Hard

8		6	7					
	4						9	
1			2					3
			6	1				7
	9						5	
2				3	5			
9					7			8
	8						2	
					4	9		5

Hard

			7	8				
						6		1
8	5				2		4	
				5	7			9
	4						1	
7			9	2				
	7		6				3	4
5		8						
				9	3			

Hard

								6
7		6		2	4			
8					1	2		
		3		9		1		8
	6			4			3	
1		5		7		6		
		1	7					5
			8	1		9		4
5								

No. 83   Hard

5	2					8		
		8				4		1
7	9				6			
			8		9		4	
4				3				8
	8		1		4			
			6				8	5
8		7				3		
		3					1	2

No. 84   Hard

		7	8				3	2
			7	1			9	4
8								
5		9						
			3	7	5			
						4		1
								5
3	1			5	7			
2	8			4		6		

Hard

	8			3	7	1		
			1	9		5		6
7		3			2		8	
				1				
	5		7			9		2
2		8		4	1			
		4	8	2			9	

Hard

8				3			2	
					2			6
			1		9	5		
	5						6	7
	7		2		8		4	
2	3						1	
		4	5		1			
6			4					
	8			2				9

No. 87 Hard

			8		9			1
						5		2
	6	9			3			
				3		8		
5	8	3				1	6	4
		7		5				
			3			4	8	
7		6						
8			7		5			

No. 88 Hard

4		6		9		2		5
			3		5			
		8						
5						7		8
		4	2	5	8	3		
6		2						4
						1		
			6		2			
2		9		7		5		3

Hard

					1	4	6	
			8	6			2	
	5					9		8
			4		8	1		
	8			1			9	
		7	3		2			
6		2					7	
	4			2	9			
	7	3	6					

Hard

		9						8
6				3				
	8	4			7	1		
2	9					4		
		5	3	6	2	7		
		3					2	1
		1	6			8	3	
				8				4
5						9		

No. 91 Hard

4	1				5			
		2			8	3		9
6		8						
1			2		4		3	
				8				
	2		7		1			8
						6		7
9		3	4			1		
			5				9	3

No. 92 Hard

		4			8		9	
			7	5			2	
	6					7		3
		8	1					7
	2			7			1	
1					5	6		
2		6					4	
	8			1	3			
	5		4			3		

No. 93   Hard

9				3				
	5	8				4		
		1			5	6		9
		7		8	2			
	6						4	
			6	1		5		
8		6	3			2		
		4				9	5	
				2				7

No. 94   Hard

2								
3		7			4		9	
5		1		2	3			
9	3		2					6
7					5		3	4
			1	5		2		3
	8		3			7		9
								1

    Hard

2	6				8		5	
		3		5				6
7								
		4	9		2			
1	3						7	5
			7		5	3		
								7
8				4		1		
	4		5				9	8

    Hard

6				1			2	
1	7				3			
	5		7					
		1	2					
4			5	6	7			9
					1	8		
					2		5	
			9				4	3
	4			3				6

No. 97 — Hard

		8	4			3	6	
	6				3			1
		2			7			
			7					6
	9						5	
8				1				
			3			7		
9			7				4	
	4	6			2	8		

No. 98 — Hard

8		6	7					
	4						9	
1			2					3
			6	1				7
	9						5	
2				3	5			
9					7			8
	8						2	
					4	9		5

Solutions

No. 1

6	8	3	4	7	9	1	5	2
9	1	4	5	2	8	7	3	6
7	5	2	3	1	6	4	9	8
3	7	5	9	6	2	8	1	4
4	9	1	8	5	7	6	2	3
2	6	8	1	3	4	5	7	9
8	2	7	6	9	5	3	4	1
5	3	6	2	4	1	9	8	7
1	4	9	7	8	3	2	6	5

No. 2

9	4	1	8	5	3	6	2	7
2	7	8	6	9	4	1	3	5
6	5	3	7	1	2	4	8	9
8	3	7	5	2	6	9	4	1
4	6	9	1	3	7	8	5	2
1	2	5	9	4	8	7	6	3
7	9	2	4	6	5	3	1	8
3	8	6	2	7	1	5	9	4
5	1	4	3	8	9	2	7	6

No. 3

5	3	4	8	2	7	9	1	6
6	8	1	3	5	9	4	7	2
9	2	7	1	6	4	5	3	8
4	5	6	2	8	3	1	9	7
3	1	8	7	9	6	2	5	4
7	9	2	4	1	5	8	6	3
8	7	5	9	3	2	6	4	1
1	6	3	5	4	8	7	2	9
2	4	9	6	7	1	3	8	5

No. 4

1	4	3	5	6	2	9	7	8
9	6	5	3	7	8	2	1	4
8	7	2	1	4	9	3	5	6
7	9	1	6	8	3	4	2	5
3	2	6	4	5	1	7	8	9
5	8	4	9	2	7	6	3	1
6	1	7	8	3	4	5	9	2
2	5	9	7	1	6	8	4	3
4	3	8	2	9	5	1	6	7

No. 5

3	8	7	2	4	5	1	9	6
6	2	5	7	1	9	3	4	8
4	1	9	6	3	8	7	5	2
5	3	1	8	9	2	6	7	4
7	6	8	3	5	4	2	1	9
9	4	2	1	6	7	8	3	5
8	5	6	4	7	3	9	2	1
1	9	3	5	2	6	4	8	7
2	7	4	9	8	1	5	6	3

No. 6

3	5	8	7	9	2	6	1	4
6	2	1	3	5	4	9	8	7
4	9	7	1	8	6	2	3	5
5	3	9	6	1	7	4	2	8
7	4	2	5	3	8	1	9	6
1	8	6	2	4	9	5	7	3
8	6	5	9	7	1	3	4	2
9	7	3	4	2	5	8	6	1
2	1	4	8	6	3	7	5	9

No. 7

2	8	4	6	3	1	7	9	5
6	1	9	5	4	7	8	3	2
3	7	5	9	8	2	1	4	6
5	4	7	8	6	9	3	2	1
9	2	3	1	5	4	6	8	7
8	6	1	7	2	3	4	5	9
1	3	6	2	9	8	5	7	4
7	9	8	4	1	5	2	6	3
4	5	2	3	7	6	9	1	8

No. 8

3	4	6	5	8	2	9	1	7
7	9	5	6	1	3	4	2	8
1	2	8	9	4	7	5	3	6
2	3	1	7	5	9	8	6	4
8	5	7	4	6	1	2	9	3
4	6	9	2	3	8	7	5	1
6	8	2	3	7	5	1	4	9
5	1	3	8	9	4	6	7	2
9	7	4	1	2	6	3	8	5

No. 9

4	5	2	8	9	1	6	7	3
9	7	6	2	3	4	5	8	1
8	1	3	6	7	5	4	2	9
7	2	4	9	1	6	8	3	5
6	8	9	3	5	2	7	1	4
5	3	1	7	4	8	9	6	2
1	6	5	4	2	7	3	9	8
2	9	8	5	6	3	1	4	7
3	4	7	1	8	9	2	5	6

Solutions

No. 10

5	9	7	6	3	4	2	8	1
1	6	3	5	8	2	4	9	7
8	2	4	1	7	9	3	5	6
3	5	6	8	2	1	9	7	4
2	8	9	7	4	6	5	1	3
4	7	1	9	5	3	6	2	8
7	3	8	4	9	5	1	6	2
9	1	2	3	6	7	8	4	5
6	4	5	2	1	8	7	3	9

No. 11

2	4	1	6	9	8	5	3	7
7	3	6	5	2	4	1	9	8
9	5	8	1	7	3	2	4	6
3	6	9	2	8	7	4	1	5
5	7	2	4	1	9	8	6	3
8	1	4	3	5	6	9	7	2
4	8	7	9	6	5	3	2	1
1	9	5	7	3	2	6	8	4
6	2	3	8	4	1	7	5	9

No. 12

8	5	9	7	1	3	2	6	4
2	3	1	8	4	6	7	9	5
7	4	6	2	9	5	1	3	8
3	8	7	1	6	2	5	4	9
6	1	2	4	5	9	3	8	7
4	9	5	3	7	8	6	1	2
9	2	4	6	3	7	8	5	1
5	6	8	9	2	1	4	7	3
1	7	3	5	8	4	9	2	6

No. 13

5	4	8	9	6	2	7	1	3
3	7	1	8	4	5	6	2	9
9	6	2	1	3	7	4	8	5
2	5	3	6	7	4	1	9	8
8	9	7	5	1	3	2	4	6
6	1	4	2	9	8	5	3	7
7	2	6	3	8	1	9	5	4
4	8	5	7	2	9	3	6	1
1	3	9	4	5	6	8	7	2

No. 14

4	6	5	3	9	1	8	7	2
2	1	9	8	5	7	3	6	4
8	7	3	4	2	6	1	5	9
7	3	4	9	1	5	2	8	6
1	5	6	7	8	2	9	4	3
9	2	8	6	3	4	7	1	5
3	9	7	5	6	8	4	2	1
6	8	2	1	4	3	5	9	7
5	4	1	2	7	9	6	3	8

No. 15

5	1	2	8	4	9	6	3	7
3	6	9	7	5	1	4	2	8
8	4	7	2	6	3	5	1	9
6	9	8	4	1	5	3	7	2
4	2	3	6	7	8	9	5	1
1	7	5	9	3	2	8	6	4
7	5	1	3	8	4	2	9	6
9	3	4	1	2	6	7	8	5
2	8	6	5	9	7	1	4	3

No. 16

1	6	4	8	5	2	9	3	7
7	9	5	4	1	3	6	8	2
3	2	8	7	9	6	1	5	4
8	7	6	9	4	5	2	1	3
4	5	3	6	2	1	8	7	9
2	1	9	3	8	7	4	6	5
6	4	2	5	3	8	7	9	1
5	8	1	2	7	9	3	4	6
9	3	7	1	6	4	5	2	8

No. 17

3	7	1	8	5	9	4	6	2
5	8	2	4	6	1	3	7	9
6	4	9	7	2	3	1	5	8
8	2	5	1	7	4	9	3	6
9	3	6	2	8	5	7	1	4
4	1	7	3	9	6	8	2	5
2	9	3	6	4	7	5	8	1
1	5	8	9	3	2	6	4	7
7	6	4	5	1	8	2	9	3

No. 18

3	1	5	4	7	9	6	2	8
8	4	7	3	6	2	9	1	5
9	6	2	5	1	8	7	3	4
7	3	9	1	5	4	8	6	2
6	5	8	9	2	7	1	4	3
1	2	4	8	3	6	5	7	9
2	7	3	6	9	5	4	8	1
5	8	6	2	4	1	3	9	7
4	9	1	7	8	3	2	5	6

Solutions

No. 19

7	3	5	6	1	2	4	8	9
8	2	6	9	5	4	7	3	1
1	9	4	7	3	8	6	2	5
9	8	1	2	7	5	3	4	6
6	7	3	8	4	1	9	5	2
4	5	2	3	9	6	8	1	7
3	1	9	4	2	7	5	6	8
5	6	7	1	8	3	2	9	4
2	4	8	5	6	9	1	7	3

No. 20

9	1	7	6	3	8	4	5	2
5	2	6	9	1	4	8	7	3
8	4	3	7	2	5	9	1	6
2	3	4	1	5	7	6	9	8
1	6	9	4	8	3	7	2	5
7	5	8	2	6	9	1	3	4
4	7	5	3	9	6	2	8	1
6	8	2	5	7	1	3	4	9
3	9	1	8	4	2	5	6	7

No. 21

9	4	1	5	7	8	2	6	3
7	5	3	6	2	4	8	9	1
6	8	2	3	9	1	7	4	5
2	1	9	7	4	6	5	3	8
3	6	5	1	8	9	4	7	2
8	7	4	2	5	3	6	1	9
4	3	7	8	1	5	9	2	6
5	2	6	9	3	7	1	8	4
1	9	8	4	6	2	3	5	7

No. 22

1	6	8	4	9	7	5	3	2
2	9	3	5	6	8	4	7	1
4	5	7	3	1	2	9	8	6
5	3	2	1	8	9	6	4	7
9	1	6	7	3	4	8	2	5
8	7	4	6	2	5	3	1	9
6	4	1	2	5	3	7	9	8
3	8	5	9	7	1	2	6	4
7	2	9	8	4	6	1	5	3

No. 23

7	4	2	1	8	3	5	9	6
6	5	3	2	7	9	8	1	4
9	8	1	5	4	6	3	2	7
2	7	4	6	9	5	1	3	8
3	6	5	4	1	8	2	7	9
8	1	9	3	2	7	6	4	5
1	2	8	9	6	4	7	5	3
5	9	7	8	3	1	4	6	2
4	3	6	7	5	2	9	8	1

No. 24

2	4	7	8	6	9	5	3	1
3	6	9	4	1	5	2	8	7
8	1	5	3	7	2	9	6	4
6	7	2	9	3	8	1	4	5
9	8	3	1	5	4	6	7	2
4	5	1	7	2	6	8	9	3
1	9	6	2	4	3	7	5	8
5	2	4	6	8	7	3	1	9
7	3	8	5	9	1	4	2	6

No. 25

8	1	3	2	7	6	9	5	4
4	7	9	8	3	5	6	2	1
2	5	6	9	1	4	7	8	3
9	8	7	6	4	2	1	3	5
5	2	1	3	9	8	4	6	7
6	3	4	7	5	1	8	9	2
3	6	8	4	2	7	5	1	9
1	4	2	5	6	9	3	7	8
7	9	5	1	8	3	2	4	6

No. 26

5	9	6	3	7	1	8	4	2
7	4	8	2	9	5	6	1	3
2	1	3	6	4	8	7	5	9
3	5	4	8	6	9	1	2	7
8	2	9	7	1	4	3	6	5
6	7	1	5	3	2	4	9	8
1	6	2	9	8	3	5	7	4
9	8	7	4	5	6	2	3	1
4	3	5	1	2	7	9	8	6

No. 27

9	7	5	1	2	8	6	4	3
3	2	8	4	6	5	1	9	7
1	6	4	7	9	3	2	8	5
7	5	6	2	8	1	4	3	9
8	1	2	9	3	4	7	5	6
4	3	9	5	7	6	8	2	1
5	8	3	6	4	7	9	1	2
6	9	1	8	5	2	3	7	4
2	4	7	3	1	9	5	6	8

Solutions

No. 28

7	2	3	6	9	4	1	8	5
1	5	8	7	3	2	6	9	4
6	9	4	1	5	8	7	3	2
5	3	6	9	8	7	2	4	1
2	4	1	3	6	5	8	7	9
9	8	7	4	2	1	5	6	3
8	1	9	5	4	6	3	2	7
3	6	5	2	7	9	4	1	8
4	7	2	8	1	3	9	5	6

No. 29

2	1	5	7	6	4	8	9	3
6	4	3	8	9	2	1	5	7
8	9	7	1	5	3	6	2	4
7	8	1	5	4	9	2	3	6
9	2	4	6	3	7	5	1	8
3	5	6	2	1	8	4	7	9
1	6	8	3	7	5	9	4	2
4	7	2	9	8	1	3	6	5
5	3	9	4	2	6	7	8	1

No. 30

9	7	3	2	1	4	5	8	6
6	2	1	5	7	8	4	3	9
5	4	8	6	3	9	2	7	1
1	9	7	3	8	2	6	4	5
8	3	4	1	5	6	9	2	7
2	6	5	9	4	7	3	1	8
4	8	6	7	9	3	1	5	2
3	1	9	8	2	5	7	6	4
7	5	2	4	6	1	8	9	3

No. 31

4	7	5	6	1	9	2	3	8
6	2	1	3	7	8	5	9	4
9	8	3	2	4	5	7	6	1
8	3	2	7	9	6	1	4	5
1	9	7	5	3	4	8	2	6
5	6	4	8	2	1	3	7	9
3	1	9	4	5	2	6	8	7
7	4	6	1	8	3	9	5	2
2	5	8	9	6	7	4	1	3

No. 32

1	4	8	5	9	6	3	2	7
7	2	6	1	4	3	5	9	8
5	3	9	2	8	7	1	6	4
3	8	1	9	5	2	4	7	6
2	6	7	4	3	8	9	5	1
4	9	5	6	7	1	8	3	2
9	1	2	8	6	5	7	4	3
8	7	4	3	2	9	6	1	5
6	5	3	7	1	4	2	8	9

No. 33

5	1	3	2	6	9	8	7	4
2	9	7	4	5	8	1	6	3
6	4	8	3	7	1	2	5	9
3	8	1	6	2	4	7	9	5
7	2	5	9	1	3	4	8	6
4	6	9	5	8	7	3	1	2
8	5	6	7	4	2	9	3	1
1	3	4	8	9	6	5	2	7
9	7	2	1	3	5	6	4	8

No. 34

9	4	7	5	1	6	8	2	3
2	3	8	9	7	4	6	1	5
6	5	1	2	3	8	4	7	9
1	7	4	8	5	2	9	3	6
3	2	9	6	4	7	5	8	1
8	6	5	3	9	1	2	4	7
5	8	3	7	2	9	1	6	4
4	9	6	1	8	3	7	5	2
7	1	2	4	6	5	3	9	8

No. 35

7	5	1	6	9	2	4	3	8
8	6	9	7	4	3	2	1	5
2	3	4	1	8	5	9	7	6
3	1	5	2	6	9	8	4	7
9	4	2	8	3	7	5	6	1
6	8	7	4	5	1	3	2	9
5	7	6	3	2	8	1	9	4
1	2	8	9	7	4	6	5	3
4	9	3	5	1	6	7	8	2

No. 36

6	1	8	4	2	3	5	9	7
2	7	3	8	9	5	4	1	6
4	5	9	1	7	6	2	8	3
9	4	6	2	8	7	1	3	5
8	2	5	3	1	4	6	7	9
1	3	7	5	6	9	8	4	2
5	8	2	7	3	1	9	6	4
7	6	1	9	4	2	3	5	8
3	9	4	6	5	8	7	2	1

Solutions

No. 37

2	6	7	5	8	3	1	9	4
4	5	3	9	6	1	8	2	7
8	1	9	7	2	4	5	3	6
5	7	1	4	3	9	2	6	8
6	3	2	1	7	8	9	4	5
9	4	8	6	5	2	3	7	1
7	2	6	3	1	5	4	8	9
3	9	5	8	4	7	6	1	2
1	8	4	2	9	6	7	5	3

No. 38

7	5	6	1	2	8	3	9	4
9	8	3	6	4	5	7	2	1
1	2	4	9	3	7	6	5	8
6	1	5	2	8	3	4	7	9
3	9	2	4	7	1	8	6	5
4	7	8	5	9	6	1	3	2
5	6	9	7	1	4	2	8	3
2	3	1	8	6	9	5	4	7
8	4	7	3	5	2	9	1	6

No. 39

9	2	4	7	1	8	6	5	3
1	7	6	3	5	2	9	8	4
5	8	3	4	6	9	1	2	7
8	4	1	5	2	6	3	7	9
2	5	9	1	3	7	8	4	6
3	6	7	8	9	4	5	1	2
4	1	2	6	8	3	7	9	5
7	3	5	9	4	1	2	6	8
6	9	8	2	7	5	4	3	1

No. 40

9	7	4	5	1	8	2	6	3
5	3	8	7	6	2	9	4	1
1	6	2	3	4	9	8	7	5
2	4	7	1	5	6	3	9	8
8	5	3	9	2	4	6	1	7
6	9	1	8	3	7	4	5	2
3	2	9	4	7	1	5	8	6
7	8	6	2	9	5	1	3	4
4	1	5	6	8	3	7	2	9

No. 41

2	3	6	7	4	9	8	5	1
9	4	5	1	6	8	7	3	2
7	1	8	2	5	3	4	6	9
8	2	4	3	1	5	9	7	6
1	6	9	8	7	4	5	2	3
5	7	3	9	2	6	1	8	4
6	5	7	4	9	2	3	1	8
3	9	1	6	8	7	2	4	5
4	8	2	5	3	1	6	9	7

No. 42

3	1	8	4	5	7	6	9	2
9	2	4	6	8	1	7	5	3
6	7	5	2	9	3	8	1	4
7	8	6	9	1	4	2	3	5
1	5	9	3	2	6	4	7	8
2	4	3	8	7	5	1	6	9
4	9	1	7	3	8	5	2	6
5	6	2	1	4	9	3	8	7
8	3	7	5	6	2	9	4	1

No. 43

3	7	6	8	1	9	2	4	5
4	2	5	3	7	6	9	1	8
8	1	9	5	4	2	7	3	6
6	3	4	2	9	5	1	8	7
7	5	2	6	8	1	4	9	3
9	8	1	7	3	4	6	5	2
1	6	3	4	2	8	5	7	9
5	4	8	9	6	7	3	2	1
2	9	7	1	5	3	8	6	4

No. 44

9	7	8	6	5	2	1	4	3
6	5	1	3	8	4	2	7	9
4	2	3	9	7	1	8	5	6
3	8	7	4	2	5	6	9	1
2	6	5	1	3	9	4	8	7
1	4	9	7	6	8	3	2	5
8	9	6	2	1	7	5	3	4
7	3	2	5	4	6	9	1	8
5	1	4	8	9	3	7	6	2

No. 45

9	2	3	4	8	1	7	6	5
1	8	4	6	5	7	9	3	2
5	6	7	9	3	2	1	8	4
6	4	2	7	1	9	3	5	8
8	9	1	3	6	5	4	2	7
7	3	5	8	2	4	6	9	1
4	5	9	2	7	3	8	1	6
3	1	8	5	4	6	2	7	9
2	7	6	1	9	8	5	4	3

Solutions

No. 46

6	5	7	8	4	1	9	3	2
9	2	4	6	5	3	8	1	7
3	8	1	2	9	7	4	6	5
8	7	3	4	2	6	1	5	9
5	9	2	7	1	8	3	4	6
4	1	6	5	3	9	7	2	8
7	4	8	1	6	5	2	9	3
2	3	5	9	8	4	6	7	1
1	6	9	3	7	2	5	8	4

No. 47

7	4	3	8	6	5	9	1	2
5	2	9	4	7	1	8	6	3
8	6	1	3	2	9	7	5	4
2	9	7	1	3	6	4	8	5
6	3	5	9	4	8	1	2	7
1	8	4	7	5	2	6	3	9
3	7	8	5	1	4	2	9	6
4	1	2	6	9	3	5	7	8
9	5	6	2	8	7	3	4	1

No. 48

5	8	9	6	3	1	2	4	7
3	7	4	2	8	9	1	6	5
6	2	1	4	5	7	9	8	3
1	6	3	5	9	2	4	7	8
2	5	8	7	6	4	3	1	9
4	9	7	8	1	3	5	2	6
8	4	6	9	2	5	7	3	1
7	3	5	1	4	6	8	9	2
9	1	2	3	7	8	6	5	4

No. 49

3	2	1	7	8	9	4	5	6
6	4	9	2	3	5	7	8	1
7	8	5	6	4	1	9	3	2
8	1	7	5	9	4	6	2	3
9	5	3	8	2	6	1	4	7
2	6	4	1	7	3	8	9	5
5	7	8	4	1	2	3	6	9
4	9	6	3	5	7	2	1	8
1	3	2	9	6	8	5	7	4

No. 50

3	4	6	2	1	8	5	7	9
5	9	1	3	7	6	4	8	2
8	2	7	9	5	4	3	1	6
9	5	8	1	2	3	7	6	4
1	6	2	4	8	7	9	3	5
7	3	4	6	9	5	1	2	8
6	8	3	5	4	1	2	9	7
4	1	9	7	6	2	8	5	3
2	7	5	8	3	9	6	4	1

No. 51

8	7	4	3	5	6	2	1	9
6	2	1	8	7	9	5	4	3
9	3	5	2	1	4	7	6	8
3	4	8	9	2	1	6	7	5
2	5	9	7	6	3	4	8	1
7	1	6	5	4	8	3	9	2
4	6	2	1	9	5	8	3	7
1	8	7	4	3	2	9	5	6
5	9	3	6	8	7	1	2	4

No. 52

6	8	7	2	5	4	1	9	3
1	4	5	8	9	3	7	6	2
9	3	2	1	6	7	5	8	4
7	2	9	6	8	5	3	4	1
3	1	6	4	2	9	8	7	5
8	5	4	3	7	1	9	2	6
2	6	1	9	3	8	4	5	7
4	7	8	5	1	6	2	3	9
5	9	3	7	4	2	6	1	8

No. 53

4	5	1	9	6	3	2	7	8
8	7	2	5	4	1	3	6	9
3	9	6	7	2	8	1	4	5
5	2	7	1	8	6	4	9	3
1	4	8	3	7	9	6	5	2
9	6	3	4	5	2	7	8	1
7	8	4	2	3	5	9	1	6
2	1	5	6	9	7	8	3	4
6	3	9	8	1	4	5	2	7

No. 54

5	6	8	3	1	4	2	7	9
1	9	4	8	7	2	6	3	5
3	2	7	9	6	5	1	4	8
2	4	1	5	8	9	3	6	7
9	7	5	1	3	6	8	2	4
6	8	3	2	4	7	9	5	1
7	5	2	6	9	1	4	8	3
4	3	9	7	2	8	5	1	6
8	1	6	4	5	3	7	9	2

Solutions

No. 55

9	1	3	5	2	4	6	7	8
2	6	7	3	1	8	9	4	5
4	8	5	6	7	9	2	3	1
1	4	9	7	3	6	5	8	2
7	3	6	8	5	2	4	1	9
5	2	8	4	9	1	7	6	3
3	7	1	9	4	5	8	2	6
8	9	4	2	6	3	1	5	7
6	5	2	1	8	7	3	9	4

No. 56

1	9	7	6	2	8	3	5	4
3	2	6	5	9	4	7	8	1
4	5	8	1	7	3	6	2	9
2	7	1	4	6	9	8	3	5
5	3	9	2	8	1	4	6	7
6	8	4	7	3	5	9	1	2
7	1	3	8	4	2	5	9	6
8	4	5	9	1	6	2	7	3
9	6	2	3	5	7	1	4	8

No. 57

7	9	1	5	2	4	6	3	8
2	4	3	8	9	6	1	7	5
5	8	6	3	1	7	2	9	4
3	2	9	6	4	8	7	5	1
4	6	8	7	5	1	3	2	9
1	7	5	2	3	9	4	8	6
6	5	7	4	8	2	9	1	3
8	1	2	9	6	3	5	4	7
9	3	4	1	7	5	8	6	2

No. 58

1	2	7	5	6	8	9	3	4
3	8	6	4	9	2	1	7	5
4	5	9	7	3	1	8	2	6
6	9	2	3	8	7	5	4	1
7	1	4	6	5	9	3	8	2
8	3	5	1	2	4	7	6	9
2	6	8	9	7	5	4	1	3
5	7	1	2	4	3	6	9	8
9	4	3	8	1	6	2	5	7

No. 59

9	2	6	1	3	5	8	7	4
1	3	4	7	8	2	5	6	9
5	8	7	9	4	6	1	2	3
2	1	8	3	9	4	6	5	7
3	6	5	8	2	7	4	9	1
4	7	9	6	5	1	2	3	8
6	4	1	5	7	9	3	8	2
7	5	3	2	1	8	9	4	6
8	9	2	4	6	3	7	1	5

No. 60

8	2	4	6	3	1	5	7	9
5	6	7	4	8	9	2	3	1
9	3	1	2	5	7	4	6	8
4	8	6	1	2	5	7	9	3
3	1	2	7	9	8	6	4	5
7	5	9	3	6	4	8	1	2
1	4	3	8	7	2	9	5	6
6	9	8	5	4	3	1	2	7
2	7	5	9	1	6	3	8	4

No. 61

1	5	8	3	4	2	7	9	6
4	2	6	9	8	7	3	5	1
7	3	9	5	6	1	8	2	4
5	7	3	8	1	4	9	6	2
9	6	4	7	2	5	1	8	3
2	8	1	6	9	3	4	7	5
6	4	7	1	5	8	2	3	9
8	9	2	4	3	6	5	1	7
3	1	5	2	7	9	6	4	8

No. 62

1	3	4	5	8	9	2	7	6
8	7	5	3	6	2	1	9	4
2	6	9	1	4	7	3	5	8
5	9	3	8	1	4	7	6	2
6	4	8	2	7	5	9	3	1
7	1	2	9	3	6	8	4	5
9	2	1	4	5	3	6	8	7
4	8	6	7	9	1	5	2	3
3	5	7	6	2	8	4	1	9

No. 63

9	6	1	2	8	5	3	4	7
3	2	4	1	7	9	5	8	6
8	7	5	3	4	6	9	1	2
6	1	3	7	9	4	2	5	8
5	8	9	6	3	2	4	7	1
2	4	7	5	1	8	6	3	9
1	9	2	8	5	3	7	6	4
4	3	8	9	6	7	1	2	5
7	5	6	4	2	1	8	9	3

Solutions

No. 64

7	4	3	6	8	1	2	9	5
1	5	9	2	4	7	8	3	6
8	2	6	5	9	3	4	1	7
5	6	7	8	1	4	9	2	3
2	9	8	3	7	6	1	5	4
4	3	1	9	2	5	7	6	8
3	1	4	7	5	9	6	8	2
6	7	2	1	3	8	5	4	9
9	8	5	4	6	2	3	7	1

No. 65

2	5	8	7	1	6	3	9	4
9	1	6	4	2	3	7	8	5
3	7	4	8	5	9	1	2	6
1	4	7	9	6	2	8	5	3
5	2	9	1	3	8	4	6	7
8	6	3	5	4	7	2	1	9
6	8	2	3	9	4	5	7	1
4	9	5	2	7	1	6	3	8
7	3	1	6	8	5	9	4	2

No. 66

2	1	7	5	4	8	3	6	9
6	3	5	9	1	2	7	8	4
9	8	4	7	6	3	2	5	1
8	9	1	2	5	4	6	7	3
7	6	3	8	9	1	4	2	5
4	5	2	6	3	7	1	9	8
1	2	9	3	7	5	8	4	6
5	4	8	1	2	6	9	3	7
3	7	6	4	8	9	5	1	2

No. 67

5	9	6	7	1	3	2	8	4
8	3	7	4	6	2	5	1	9
4	2	1	5	8	9	3	7	6
2	6	5	9	4	1	7	3	8
3	8	4	6	7	5	1	9	2
7	1	9	3	2	8	6	4	5
6	7	8	2	3	4	9	5	1
1	5	3	8	9	6	4	2	7
9	4	2	1	5	7	8	6	3

No. 68

1	3	5	4	9	8	7	2	6
9	6	2	5	7	3	8	1	4
7	4	8	1	6	2	3	9	5
5	2	6	9	3	4	1	7	8
4	8	9	6	1	7	2	5	3
3	7	1	8	2	5	6	4	9
6	1	3	2	5	9	4	8	7
2	5	4	7	8	6	9	3	1
8	9	7	3	4	1	5	6	2

No. 69

9	1	8	3	2	4	6	7	5
2	6	4	5	7	9	3	1	8
5	3	7	6	8	1	4	2	9
6	9	5	7	3	2	1	8	4
4	7	2	1	9	8	5	3	6
3	8	1	4	5	6	7	9	2
7	4	9	8	6	3	2	5	1
8	5	6	2	1	7	9	4	3
1	2	3	9	4	5	8	6	7

No. 70

6	7	8	4	9	2	1	3	5
9	2	3	1	5	7	4	8	6
5	1	4	3	6	8	9	7	2
3	4	5	9	2	6	8	1	7
8	9	7	5	4	1	2	6	3
1	6	2	8	7	3	5	9	4
2	3	9	7	1	5	6	4	8
7	5	1	6	8	4	3	2	9
4	8	6	2	3	9	7	5	1

No. 71

3	6	9	7	2	1	8	5	4
5	2	7	4	9	8	3	6	1
8	1	4	3	5	6	9	2	7
2	4	8	6	1	7	5	3	9
1	9	3	2	8	5	7	4	6
7	5	6	9	3	4	2	1	8
4	3	1	5	7	9	6	8	2
6	7	2	8	4	3	1	9	5
9	8	5	1	6	2	4	7	3

No. 72

5	7	4	9	3	8	2	1	6
6	1	8	5	7	2	3	9	4
2	9	3	1	6	4	5	7	8
9	3	1	7	2	6	8	4	5
8	4	6	3	1	5	7	2	9
7	5	2	4	8	9	6	3	1
4	2	5	6	9	7	1	8	3
3	6	7	8	4	1	9	5	2
1	8	9	2	5	3	4	6	7

Solutions

No. 73

8	2	3	9	6	5	7	4	1
1	4	6	7	8	3	9	2	5
5	9	7	4	1	2	3	6	8
7	8	4	3	2	9	1	5	6
3	1	2	6	5	4	8	9	7
9	6	5	8	7	1	4	3	2
4	7	8	2	9	6	5	1	3
6	3	1	5	4	7	2	8	9
2	5	9	1	3	8	6	7	4

No. 74

2	4	8	1	9	7	3	6	5
9	5	3	4	6	8	2	7	1
1	7	6	5	2	3	4	9	8
8	3	1	2	7	9	6	5	4
5	9	4	6	3	1	8	2	7
7	6	2	8	4	5	9	1	3
4	8	5	9	1	6	7	3	2
6	1	7	3	8	2	5	4	9
3	2	9	7	5	4	1	8	6

No. 75

2	6	9	1	7	8	4	5	3
4	1	3	2	5	9	7	8	6
7	5	8	3	6	4	2	1	9
5	7	4	9	3	2	8	6	1
1	3	2	4	8	6	9	7	5
9	8	6	7	1	5	3	2	4
6	2	1	8	9	3	5	4	7
8	9	5	6	4	7	1	3	2
3	4	7	5	2	1	6	9	8

No. 76

6	9	3	8	1	4	7	2	5
1	7	2	6	5	3	4	9	8
8	5	4	7	2	9	6	3	1
7	3	1	2	9	8	5	6	4
4	2	8	5	6	7	3	1	9
5	6	9	3	4	1	8	7	2
3	1	6	4	8	2	9	5	7
2	8	5	9	7	6	1	4	3
9	4	7	1	3	5	2	8	6

No. 77

9	3	1	5	4	6	8	7	2
7	4	2	1	9	8	5	3	6
8	5	6	3	2	7	4	1	9
5	2	8	6	3	1	7	9	4
4	6	3	8	7	9	1	2	5
1	9	7	2	5	4	6	8	3
2	8	5	4	1	3	9	6	7
6	7	4	9	8	2	3	5	1
3	1	9	7	6	5	2	4	8

No. 78

3	5	7	2	8	9	6	1	4
1	9	8	6	4	3	2	7	5
2	4	6	7	1	5	9	8	3
9	2	4	3	7	1	8	5	6
5	7	3	8	9	6	1	4	2
8	6	1	4	5	2	7	3	9
7	3	2	1	6	4	5	9	8
4	1	5	9	2	8	3	6	7
6	8	9	5	3	7	4	2	1

No. 79

1	7	8	4	5	9	3	6	2
4	6	9	8	2	3	5	7	1
3	5	2	1	6	7	9	8	4
2	1	5	9	7	8	4	3	6
6	9	7	2	3	4	1	5	8
8	3	4	6	1	5	2	9	7
5	8	1	3	4	6	7	2	9
9	2	3	7	8	1	6	4	5
7	4	6	5	9	2	8	1	3

No. 80

8	2	6	7	9	3	5	1	4
7	4	3	5	6	1	8	9	2
1	5	9	2	4	8	6	7	3
5	3	8	6	1	9	2	4	7
4	9	1	8	7	2	3	5	6
2	6	7	4	3	5	1	8	9
9	1	5	3	2	7	4	6	8
3	8	4	9	5	6	7	2	1
6	7	2	1	8	4	9	3	5

No. 81

4	9	1	7	8	6	5	2	3
3	2	7	5	4	9	6	8	1
8	5	6	1	3	2	9	4	7
1	8	2	4	5	7	3	6	9
9	4	5	3	6	8	7	1	2
7	6	3	9	2	1	4	5	8
2	7	9	6	1	5	8	3	4
5	3	8	2	7	4	1	9	6
6	1	4	8	9	3	2	7	5

Solutions

No. 82

2	1	9	3	8	7	4	5	6
7	5	6	9	2	4	3	8	1
8	3	4	6	5	1	2	9	7
4	2	3	5	9	6	1	7	8
9	6	7	1	4	8	5	3	2
1	8	5	2	7	3	6	4	9
6	4	1	7	3	9	8	2	5
3	7	2	8	1	5	9	6	4
5	9	8	4	6	2	7	1	3

No. 83

5	2	4	3	7	1	8	6	9
6	3	8	9	5	2	4	7	1
7	9	1	4	8	6	2	5	3
3	7	5	8	2	9	1	4	6
4	1	6	5	3	7	9	2	8
2	8	9	1	6	4	5	3	7
1	4	2	6	9	3	7	8	5
8	6	7	2	1	5	3	9	4
9	5	3	7	4	8	6	1	2

No. 84

4	9	7	5	8	6	1	3	2
6	5	3	7	1	2	8	9	4
8	2	1	4	3	9	5	7	6
5	6	9	1	2	4	7	8	3
1	4	8	3	7	5	2	6	9
7	3	2	6	9	8	4	5	1
9	7	4	8	6	1	3	2	5
3	1	6	2	5	7	9	4	8
2	8	5	9	4	3	6	1	7

No. 85

9	8	5	6	3	7	1	2	4
3	4	2	1	9	8	5	7	6
1	6	7	2	5	4	8	3	9
7	1	3	9	6	2	4	8	5
8	2	9	4	1	5	7	6	3
4	5	6	7	8	3	9	1	2
6	3	1	5	7	9	2	4	8
2	9	8	3	4	1	6	5	7
5	7	4	8	2	6	3	9	1

No. 86

8	1	9	6	3	5	7	2	4
5	4	3	8	7	2	1	9	6
7	6	2	1	4	9	5	8	3
4	5	8	9	1	3	2	6	7
9	7	1	2	6	8	3	4	5
2	3	6	7	5	4	9	1	8
3	9	4	5	8	1	6	7	2
6	2	5	4	9	7	8	3	1
1	8	7	3	2	6	4	5	9

No. 87

4	2	5	8	7	9	6	3	1
3	7	8	6	1	4	5	9	2
1	6	9	5	2	3	7	4	8
2	9	4	1	3	6	8	7	5
5	8	3	2	9	7	1	6	4
6	1	7	4	5	8	3	2	9
9	5	1	3	6	2	4	8	7
7	4	6	9	8	1	2	5	3
8	3	2	7	4	5	9	1	6

No. 88

4	7	6	8	9	1	2	3	5
9	2	1	3	6	5	8	4	7
3	5	8	4	2	7	6	9	1
5	1	3	9	4	6	7	2	8
7	9	4	2	5	8	3	1	6
6	8	2	7	1	3	9	5	4
8	4	7	5	3	9	1	6	2
1	3	5	6	8	2	4	7	9
2	6	9	1	7	4	5	8	3

No. 89

7	2	8	9	5	1	4	6	3
9	3	1	8	6	4	7	2	5
4	5	6	2	3	7	9	1	8
3	6	9	4	7	8	1	5	2
2	8	4	5	1	6	3	9	7
5	1	7	3	9	2	8	4	6
6	9	2	1	8	3	5	7	4
8	4	5	7	2	9	6	3	1
1	7	3	6	4	5	2	8	9

No. 90

7	5	9	1	2	6	3	4	8
6	1	2	8	3	4	5	9	7
3	8	4	9	5	7	1	6	2
2	9	6	7	1	8	4	5	3
1	4	5	3	6	2	7	8	9
8	7	3	4	9	5	6	2	1
4	2	1	6	7	9	8	3	5
9	6	7	5	8	3	2	1	4
5	3	8	2	4	1	9	7	6

Solutions

No. 91

4	1	9	3	2	5	8	7	6
5	7	2	1	6	8	3	4	9
6	3	8	9	4	7	5	2	1
1	8	6	2	9	4	7	3	5
7	9	5	6	8	3	2	1	4
3	2	4	7	5	1	9	6	8
2	4	1	8	3	9	6	5	7
9	5	3	4	7	6	1	8	2
8	6	7	5	1	2	4	9	3

No. 92

7	1	4	3	2	8	5	9	6
8	9	3	7	5	6	4	2	1
5	6	2	9	4	1	7	8	3
6	4	8	1	3	9	2	5	7
3	2	5	6	7	4	8	1	9
1	7	9	2	8	5	6	3	4
2	3	6	8	9	7	1	4	5
4	8	7	5	1	3	9	6	2
9	5	1	4	6	2	3	7	8

No. 93

9	4	2	1	3	6	7	8	5
6	5	8	2	9	7	4	3	1
7	3	1	8	4	5	6	2	9
4	1	7	5	8	2	3	9	6
2	6	5	9	7	3	1	4	8
3	8	9	6	1	4	5	7	2
8	7	6	3	5	9	2	1	4
1	2	4	7	6	8	9	5	3
5	9	3	4	2	1	8	6	7

No. 94

2	4	8	6	1	9	3	7	5
3	6	7	5	8	4	1	9	2
5	9	1	7	2	3	6	4	8
9	3	4	2	7	8	5	1	6
8	5	6	4	3	1	9	2	7
7	1	2	9	6	5	8	3	4
4	7	9	1	5	6	2	8	3
1	8	5	3	4	2	7	6	9
6	2	3	8	9	7	4	5	1

No. 95

2	6	9	1	7	8	4	5	3
4	1	3	2	5	9	7	8	6
7	5	8	3	6	4	2	1	9
5	7	4	9	3	2	8	6	1
1	3	2	4	8	6	9	7	5
9	8	6	7	1	5	3	2	4
6	2	1	8	9	3	5	4	7
8	9	5	6	4	7	1	3	2
3	4	7	5	2	1	6	9	8

No. 96

6	9	3	8	1	4	7	2	5
1	7	2	6	5	3	4	9	8
8	5	4	7	2	9	6	3	1
7	3	1	2	9	8	5	6	4
4	2	8	5	6	7	3	1	9
5	6	9	3	4	1	8	7	2
3	1	6	4	8	2	9	5	7
2	8	5	9	7	6	1	4	3
9	4	7	1	3	5	2	8	6

No. 97

1	7	8	4	5	9	3	6	2
4	6	9	8	2	3	5	7	1
3	5	2	1	6	7	9	8	4
2	1	5	9	7	8	4	3	6
6	9	7	2	3	4	1	5	8
8	3	4	6	1	5	2	9	7
5	8	1	3	4	6	7	2	9
9	2	3	7	8	1	6	4	5
7	4	6	5	9	2	8	1	3

No. 98

8	2	6	7	9	3	5	1	4
7	4	3	5	6	1	8	9	2
1	5	9	2	4	8	6	7	3
5	3	8	6	1	9	2	4	7
4	9	1	8	7	2	3	5	6
2	6	7	4	3	5	1	8	9
9	1	5	3	2	7	4	6	8
3	8	4	9	5	6	7	2	1
6	7	2	1	8	4	9	3	5